Carlo en Zahra

De toverclub

Evelien Pullens

Tekeningen:
Helen van Vliet

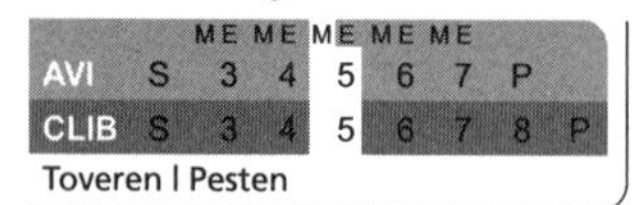

Oude systeem: AVI 7
Zie verder: www.kluitman.nl/educatie

Nur 282/GGP050801

Omslagontwerp: Design Team Kluitman

www.kluitman.nl

De geheime hut

Carlo is er als eerste. Verder is er niemand in de speeltuin op het veld achter de huizen. Carlo loopt een rondje om de schommel. Daarna raakt hij de wip aan. Hij kruipt door de speelbuis van beton. Dan neemt hij het pad tussen de struiken. Het paadje maakt een bocht om de stekelboom. Daarachter ligt de geheime hut.

Vanaf het veld zie je niets van de hut. Daar hebben ze wel voor gezorgd. De hut ligt goed verstopt tussen de struiken. Niemand weet ervan. Behalve Michiel natuurlijk. Hij heeft de hut samen met Carlo gebouwd.

Sinds kort mag ook Zahra bij de hut komen. Zahra woont nog niet zo lang bij hen in de straat. Ze komt uit een ander land. Carlo vindt haar aardig. En ze is voor niets of niemand bang.

Elke dag na school spreken Michiel, Carlo en Zahra af bij de geheime hut. Ze moeten de vaste regels volgen. Een rondje om de schommel, de wip aanraken en door de buis kruipen. Ook moeten ze kijken of er niemand in de buurt is. Pas dan mogen ze het pad naar de hut nemen.

Vandaag is een speciale dag. Zahra heeft gezegd dat

ze iets mee zal nemen voor de hut. Op school gaf ze stiekem een briefje door. Daar stond het op.

Carlo haalt het briefje uit zijn zak:

Verasing voor hut. Vamidag.

Zahra kan niet zo goed schrijven. Ze heeft nog maar net Nederlands geleerd.

Carlo voelt kriebels in zijn buik. Hij hoopt dat Zahra iets toverachtigs meeneemt. De moeder van Zahra kan een beetje toveren. Bij Zahra thuis staat een groot weefgetouw in de kamer. Op dat weefgetouw maakt Zahra's moeder een kleurig tapijt. Het is een tovertapijt. Het kleed kan fluisteren en zingen. Als je het aanraakt, beweegt het kleed.

Carlo is een keer in het kleed verstrikt geraakt. Dat kwam omdat hij stiekem het huis van Zahra binnen was geklommen. Carlo heeft toen ontdekt dat het tapijt antwoord geeft op vragen. Sindsdien is dat geen geheim meer. Mensen uit de buurt komen naar het huis van Zahra om het tovertapijt om raad te vragen.

Carlo schrikt op. Hij hoort geritsel in de struiken. Er hoest iemand. Dat is Michiel. Carlo hoort het meteen. Hij steekt zijn hoofd uit de ingang van de hut. Achter Michiel loopt Zahra. Ze trekt een grote zak tussen de struiken door. Die laat ze met een plof midden in de hut op de grond vallen.

'Ze wil niet zeggen wat er in de zak zit,' mokt Michiel.

'Nee, dat is een verrassing,' zegt Zahra. 'Nou Carlo erbij is, kan ik het zeggen.' Plechtig maakt ze de zak open. 'Mijn moeder wilde me geen tovertapijt geven.'

Michiel en Carlo hadden gevraagd of ze een klein toverkleedje mochten voor in de hut.

'Maar ik heb wel dit.' Zahra keert de zak om. Er komen heel veel kleine, gekleurde draadjes uit. 'Dit zijn restjes van het tapijt. Mijn moeder zegt dat de draadjes nog steeds toverkracht hebben.'

De zak is leeg. Op de grond van de hut ligt nu een grote berg gekleurde draadjes.

'Mag ik ze aanraken?' vraagt Michiel.

'Ja hoor,' zegt Zahra.

De jongens pakken ieder een draadje uit de hoop. Zodra ze dat doen, horen ze een geluid. Het lijkt op het gemurmel van een beek. Ze laten de draden meteen weer los.

Het wordt stil.

De jongens pakken opnieuw een draadje. Weer dat geluid.

'Je hoort de tover,' zegt Zahra blij.

'Zal ik iets vragen?' vraagt Carlo.

Zahra knikt.

Zachtjes stelt Carlo een vraag aan de rode draad in zijn hand. De draad begint te smiespelen. Carlo verstaat er niets van.

Zahra haalt haar schouders op. 'De toverkracht is niet sterk genoeg.'

'Wat zullen we ermee doen?' Michiel heeft een kluwen draadjes in zijn hand.

'Als we ze nou ophangen in de hut? Dan wordt deze hut een toverhut,' fluistert Zahra.

'Weet je wat?' roept Carlo. 'We richten een club op. De toverclub!'

Zahra en Michiel staren Carlo aan. Dat is een spannend idee. Vanaf nu zijn ze de toverclub.

Carlo wil graag leren toveren. Van toveren zou zijn leven heel wat makkelijker worden.

Zahra en Michiel zijn al begonnen. Ze hangen draadjes aan het plafond. Ze knopen draadjes aan de lijn die dwars door de hut is gespannen. Ze plakken draadjes met plakband tegen de muur.

Na een half uur zijn ze klaar. Carlo, Michiel en Zahra zitten op de kistjes. De hut ziet er heel anders uit. Vrolijker, en ook geheimzinnig.

'Bij een toverclub doe je toverkunsten,' zegt Michiel.

Carlo knikt.

'Ik zal vragen of mijn moeder me een toverspreuk leert.' Zahra vouwt de zak op. Zahra's moeder weet veel van toveren. Dat heeft ze geleerd in het land waar ze vroeger woonden, Kustan.

'Mijn vader kent ook een paar tovertrucs,' zegt Carlo.

Michiel en Zahra kijken hem verbaasd aan.

'Hij kan een cent wegtoveren en zo.'

'Echt?' vraagt Zahra.

'Ja hoor.'

'Dat is goochelen,' zegt Michiel.

'Nou en...'

De toverclub

'Evidjana devotje kap kap lodja aaa.' Zahra spreekt de woorden heel langzaam uit. Haar moeder heeft haar een toverspreuk verteld. Nu leert ze de spreuk aan Carlo en Michiel.

Op school konden Carlo en Michiel hun hoofd vandaag niet bij de les houden. Zahra keek de hele dag zo geheimzinnig. Na school zijn de drie leden van de toverclub zo snel mogelijk naar de geheime hut gerend.

'Evidjana devotje kap kap lodja aaa,' zegt Zahra nog een keer.

Zahra's moeder heeft de spreuk van oma. Niemand weet hoe oma de spreuk kent. En ook niet wat hij betekent. Ze kunnen het niet aan oma vragen. Zij woont nog in Kustan.

'Evidjana devotje kap kap lodja aaa.' Carlo knijpt zijn ogen dicht. De woorden tintelen in zijn mond. Zo goed als hij kan, spreekt hij de moeilijke woorden uit. Hij probeert het precies zo te zeggen als Zahra net deed. Het rode draadje in zijn hand trilt. Het murmelt met de woorden mee.

'Evidjana devotje kap kap lodja aaa,' zeggen ze met z'n

drieën. Zahra en Michiel staan tegenover Carlo. Zij hebben ook alle twee een draadje in hun hand. Zahra een gele en Michiel een groene.

Piep, hoort Carlo. Hij doet zijn ogen open. Piep, hoort hij weer... Piep.

Ze kijken alle drie naar het kistje. Daar zit een muis. Boven op het kistje. Ze hebben een muis getoverd!

'Het is dus een verschijnspreuk,' zegt Zahra. 'Voor muizen.'

De drie leden van de toverclub blijven doodstil staan. De muis kijkt hen met zijn kraaloogjes aan. Dan trippelt hij over de kist. Hij knabbelt aan een koek. Die koek heeft Zahra van huis meegenomen.

'Hé,' roept Michiel. 'Dat mag niet!'

De muis schrikt. Hij springt van het kistje en verdwijnt in een spleet in de muur.

'Nou heb je hem weggejaagd,' zegt Zahra een beetje boos.

'Hij at onze koek op,' protesteert Michiel.

Carlo kan het bijna niet geloven. Zouden ze echt een muis getoverd hebben? Of niet? Er zitten altijd veel muizen in de hut. De muizen vinden het warm en gezellig tussen het hout.

Zahra hangt haar draadje weer aan de lijn. 'Zie je wel. Wij kunnen toveren.' Zahra deelt stukjes koek uit.

1

De vrienden likken eerst de zoete pasta ervan af. Dan eten ze de koek op.

'Ik weet nog wat,' zegt Carlo. 'We kunnen elkaars gedachten leren lezen. Dat heb ik op tv gezien. Als je goed traint, kun je weten wat iemand anders denkt.'

Op televisie heeft hij mensen deze truc zien doen. Het moet heel stil zijn. Je moet je goed concentreren. Dan kun je in het hoofd van de ander kijken. Zo kun je te weten komen wat iemand denkt.

Carlo legt het uit. Hij zegt dat Michiel op een kistje moet gaan zitten. 'Doe nu je ogen dicht,' zegt Carlo. 'Je mag maar aan één ding denken. En niets zeggen.' Carlo duwt Zahra naar de andere kant van de hut. 'Jij gaat hier staan. Strek je handen uit. Je moet ernstig kijken,' beveelt hij. 'Nu moet je proberen de gedachten van Michiel te pakken. Je moet in zijn hoofd kijken.'

Michiel wiebelt met zijn benen. Zijn voeten bonken tegen het kistje. Dat maakt een boel lawaai.

'Stil!' zegt Carlo streng. 'Jij mag maar aan één ding denken.'

Michiel zucht. Hij doet zijn ogen weer dicht. Nu houdt hij zijn voeten stil.

Zahra ziet er mooi uit, vindt Carlo.

Ze staat stil rechtop en strekt haar handen uit. 'Ik weet waar Michiel aan denkt,' zegt ze dan. 'Het is rond en plat en het vliegt door de lucht.'

'Een pannenkoek met vleugels,' zegt Carlo voor de grap.

Zahra kijkt hem kwaad aan. 'Je maakt me in de war, grapjas.'

Carlo giechelt.

Zahra knijpt haar ogen weer dicht. 'Het komt van een andere planeet,' zegt ze zacht.

'Dan weet ik het,' juicht Carlo. 'Een vliegende schotel! Is het goed? Dacht je daaraan?' vraagt hij aan Michiel.

Michiel knikt beduusd.

'Hij denkt altijd aan dat soort rare dingen.' Carlo slaat Zahra op haar rug. 'Jij kunt gedachten lezen,' roept hij.

Zahra schudt blij haar haren naar achteren.

'Zag je ook aliens?' wil Michiel weten.

'Wat zijn dat nou weer?' vraagt Zahra.

'Dat zijn mensen van een andere planeet, suffie,' zegt Michiel.

'O.' Zahra heeft nog nooit van aliens gehoord.

Carlo wel. Op de kamer van Michiel heeft hij er plaatjes van gezien. Michiel weet veel van andere planeten. Aan de muur van zijn kamer hangen posters van ruimteschepen.

De brommer in het gangetje

Carlo, Zahra en Michiel hebben geen zin meer in toveren.

'Ik ga naar huis. Om vijf uur heb ik voetbal,' zegt Michiel. Hij raakt drie draadjes aan. Eerst rood, dan groen, dan geel. Daarna buigt hij met zijn hoofd naar de grond. Dat zijn de regels. De leden van de toverclub mogen nooit zomaar de hut uit gaan. Je moet eerst drie draadjes aanraken. Daarna buig je naar de grond.

Zahra en Carlo doen het ook. Ze raken de draden aan en buigen. Carlo doet zijn rugzak op zijn rug. Michiel is al bij de stekelstruik.

Zahra en Carlo gaan bij Michiel zitten. Van achter de stekelstruik kun je over het hele veldje met de speeltuin kijken. Het veld moet leeg zijn. Niemand mag zien dat ze tevoorschijn komen. Ze willen niet dat iemand de hut ontdekt.

Achter elkaar sluipen Carlo, Michiel en Zahra tussen de struiken door. Ze verspreiden zich over de speeltuin.

Weer moeten ze een paar regels volgen. Eerst draaien ze een rondje. Dan lopen ze drie stappen achteruit. Ze steken hun hand in de lucht. Daarna mogen ze pas gaan. Ieder loopt een andere kant op. Dat moet. Er mogen geen twee leden van de toverclub dezelfde weg volgen. De regels zijn heel precies. Anders werkt de tover niet.

Carlo gaat het gangetje tussen de huizen in. Dat loopt aan de achterkant tussen de huizen door. Er is een hele rij poorten in het gangetje. Daardoor kom je bij de achtertuinen. Zijn tuin is bij de zevende poort. Die poort is rood. Zahra woont aan het eind van de gang. Maar Zahra loopt vandaag langs de voorkant naar huis.

Het gangetje is vol lawaai. Er staat een brommer te ronken. Carlo houdt zijn neus dicht vanwege de stank en de vieze rook.

De brommer staat bij de poort van Ron. Ron zit ook bij Carlo in de klas. Maar hij is een kop groter dan Carlo. Dat komt omdat hij een jaar ouder is. De jongens lopen nooit samen naar school. Ze spelen ook nooit met elkaar. Ron is stom en gemeen, vindt Carlo.

Pas als Carlo vlakbij is, ziet hij dat Ron zelf op de brommer zit. De brommer rijdt niet. Hij staat op de standaard. Die brommer is niet van Ron. Hij is van zijn grote zus. Carlo ziet haar vaak langsrijden.

Carlo is er niet blij mee dat hij Ron tegenkomt. Hij zou het liefst willen omkeren. Maar dat gaat niet.

Ron heeft hem al gezien. 'Hé Carlo, spinnenkop, kom eens hier.' Ron schreeuwt boven het lawaai van de brommer uit. 'Had je weer een afspraak met je

vriendinnetje?' roept Ron uitdagend.

'Ik heb geen vriendinnetje,' mompelt Carlo. Ron denkt dat Zahra zijn vriendinnetje is. Dat is niet zo. Ze is gewoon lid van de toverclub.

Ron begint te lachen. Hij springt van de brommer af. Nu staat de brommer alleen te loeien. Carlo moet hoesten van de vieze rook.

'Man, wat loop jij te kuchen. Heb je astma of zo?' Ron

slaat Carlo op zijn rug. 'Die rugtas zit ook veel te strak,' zegt hij. 'Daar krijg je het benauwd van.' Met een snelle beweging trekt Ron de tas van Carlo's rug. Hij lacht gemeen.

Carlo kan niets doen.

Ron heeft zijn rugzak te pakken. Hij zwaait ermee in het rond. Dan maakt hij de rits open. 'Oh, wat een mooie spullen!' roept Ron. Hij gooit een schrift door het gangetje. Er vliegt een blaadje uit. Dat landt een stukje verder dan het schrift zelf. Ron trekt een plastic dinosaurus uit een zijvak.

Carlo spaart plastic beesten. Die dino heeft hij van zijn vader gekregen.

Ron gooit de dino de lucht in. 'Hé, speelgoed voor baby's.' Hij vangt het beest weer op.

Carlo voelt dat Ron hem achter aan zijn broek trekt. Hij probeert zich los te rukken. Dat gaat niet. Hij voelt iets hards tegen zijn billen. Ron heeft de dino in zijn broek gestopt.

Ron slaakt een woeste kreet en gooit de tas van Carlo weg. De tas komt in een plas terecht. Dan laat hij Carlo los en springt weer op de brommer.

Carlo kan wel huilen. Hij rent achter zijn tas aan. Die is nat. Zijn schrift is gescheurd. Er zit zand aan het losse blaadje. Het plastic beest in zijn broek prikt tegen zijn huid. Zijn rug gloeit.

Carlo glipt snel door de rode poort naar zijn eigen tuin. Daar stromen de tranen over zijn wangen. Carlo blijft bij de schuur achter in de tuin staan. Hij ritst zijn gulp open. Snel trekt hij zijn broek omlaag. De dino valt op de grond. Hij doet vlug zijn broek weer aan. Niemand heeft het gezien.

Carlo klopt het zand en het water van zijn tas. Zijn kapotte schrift en de dino doet hij er weer in. Met zijn shirt veegt hij zijn tranen af. Carlo wou dat hij Ron nooit meer hoefde te zien. Zat hij maar niet bij Ron in de klas. Carlo zou het liefst willen verhuizen. Dan woonde hij ook niet meer bij Ron in de straat. Hij zou willen dat Ron niet bestond.

De achterdeur staat op een kier. Carlo sluipt de keuken in. In de kamer hoort hij de stemmen van zijn moeder en tante Ka. Tante Ka komt elke middag thee drinken bij zijn moeder.

'Dennis botste met z'n brommer tegen een paaltje.' Dat is de stem van tante Ka. Ze proest van het lachen. 'En toen is hij zo met een boog in de vijver van de buren gereden.' Ze lacht nog harder. Dennis is de zoon van tante Ka. Dennis is al zestien. Die mag wel brommer rijden. 'Hi hi hi, Dennis was helemaal groen,' proest ze.

'Och, och, och,' Carlo's moeder zucht diep. 'Die brommers zijn toch best gevaarlijk.'

Carlo heeft geen zin om de kamer in te gaan. Dan maar geen koekje. Hij loopt zacht de trap op naar boven. Hij gaat naar de badkamer. Carlo wast zijn nieuwe dino onder de kraan met zeep.

Hij ruikt eraan. Gelukkig, de dino stinkt niet naar billen. Dan zet hij hem op de plank in zijn kamer bij de andere dieren. Op de plank boven Carlo's bed staan plastic spinnen, dino's en draken. De dieren lijken ineens erg kinderachtig.

Carlo strekt zich uit op zijn bed. Hij probeert Ron te vergeten. Hij denkt liever aan het toveren van vandaag. Als ze een muis kunnen toveren... Dan kunnen ze misschien ook wel een dinosaurus toveren! Dat zou mooi zijn. Dan zou die dino Ron op kunnen eten. Carlo lacht in zichzelf. Hij droomt een beetje door. In zijn droom ziet hij hoe een dinosaurus de brommer opeet. De dino begint te trillen van de ronkende brommer in zijn buik. Carlo ziet het voor zich. De dino voelt zich niet lekker en laat een scheet van rook. Nu rolt Carlo over zijn bed van het lachen. Hij stelt zich voor dat Ron ligt te hoesten in de maag van de dino. Ron wordt misselijk van de rook en de maagsappen. Hi hi hi.

Ufo's en aliens

Er is iets aan de hand op het schoolplein. Carlo merkt het meteen. Het is stiller dan anders. Hij hoort niemand joelen. De kleintjes doen geen tikkertje vandaag. Ze staan al te dringen voor de deur. Een paar jongens slenteren met de handen in de zakken bij de fietsen. Er zitten er twee op het dak van het fietsenhok. Het zijn jongens uit de andere groep. Die durven dat soort dingen. Ze mogen helemaal niet op het dak klimmen. Is er geen leraar die het ziet? Nee.

Vanuit zijn ooghoeken kijkt Carlo of hij Zahra en Michiel ziet. Zahra vindt hij meteen. Ze leunt tegen een boom en plukt aan haar trui. Naast haar staan Els en Katja. Dan ziet hij Michiel ook. Die staat bij een groepje jongens op het plein. Er heeft zich een kring gevormd. Carlo slentert ernaartoe.

Een grote jongen met kort haar staat in het midden van de kring. Het is Ron. Carlo wil omkeren. Hij wil Ron nooit meer tegenkomen. Maar Michiel heeft hem al gezien en trekt aan zijn mouw. Carlo blijft aan de rand van het groepje staan.

'De wezens hadden grote pakken aan en een helm op

5

hun hoofd,' gaat Ron verder.

Michiel pakt Carlo bij zijn arm. 'Ron heeft aliens gezien,' fluistert hij.

'Hun gezichten waren erg bleek. Ik kon niet goed zien wat ze deden. Maar ze klommen uit hun ruimteschip. Dat stond vlak bij mijn huis. Ik kon alles zien vanuit het raam van mijn kamer.' Ron vertelt trots door. 'Het gaf veel licht. Na een tijdje steeg het weer op.'

'Zo'n schip heet een ufo,' zegt één van de jongens.

'Dat weet ik ook wel,' antwoordt Ron. 'Die wezens komen van een andere planeet. Ik heb met één van hen contact. Via mijn mobiel. Nu heb ik zijn code. Hij heet Oeli.' Rons gezicht is rood. Hij ziet er opgewonden uit.

'Ik heb ook wel eens marsmannetjes gezien. Op tv,' roept Kai.

'Mijn vader zegt dat ze niet bestaan,' vertelt een andere jongen.

'Wel hoor. In Amerika zijn ze al zo vaak geland. Dat kun je op internet vinden,' zegt Michiel. 'Ze hebben zelfs wel eens mensen ontvoerd naar een andere planeet,' voegt hij eraan toe.

'Echt niet,' zegt Kai.

'Wel waar,' roept Michiel.

'Wat weet jij er nou van, man.'

'Het is gewoon verzonnen!'

De jongens praten nu allemaal door elkaar.

'Relax!' schreeuwt Ron in het midden van de kring. 'Wie het niet gelooft, hoepelt maar op.'

Carlo gelooft het niet echt. Maar hij blijft wel staan.

Dan kijkt Ron streng de kring rond. 'Jullie snappen natuurlijk wel dat de meiden hier niets van mogen weten,' zegt hij. Zijn ogen blijven even op Carlo rusten.

Carlo draait zich snel weg. Gelukkig gaat de bel. Hij sjokt met zijn handen in zijn zakken naar de deur. Carlo hoopt dat hij er cool uitziet. Vanbinnen voelt hij zich heel zenuwachtig.

Iemand komt achter hem aan gerend en legt een arm om zijn schouder.

Carlo krimpt in elkaar.

'Ik denk dat die Oeli van de planeet Mars komt.' Het is de stem van Michiel.

Carlo blaast zijn adem uit. Gelukkig. Hij was even bang dat het Ron was.

Michiel merkt niets van de angst van Carlo. Hij ratelt gewoon door. 'Op Mars hebben ze laatst water gevonden. Mensen zouden daar ook kunnen overleven.' Michiel gaat zachter praten. Ze komen langs de meiden. 'Die Ron weet er veel van, joh. En hij heeft een code. Hij kan die Oeli zo bellen,' fluistert Michiel. 'Echt vet.'

Er klinkt geschreeuw aan de andere kant van het plein.

'Kom daar direct van af!' Meneer Cas heeft de jongens op het fietsenhok ontdekt.

De jongens springen stoer op de grond. Ze kijken meneer Cas niet aan.

Iedereen loopt de school in. Carlo glijdt op zijn plaats. Zahra zit een stukje voor hem. Carlo zwaait naar haar.

Zahra wenkt hem.

'Wat is er?' fluistert Carlo.

'Ik weet een nieuwe spreuk,' zegt Zahra. 'Hij gaat...'

Carlo voelt ogen in zijn rug prikken. Hij kijkt achter zich. De ogen zijn van Ron. Die kijkt hem strak aan. Ron is zeker bang dat hij het geheim doorkletst. Van Ron mogen ze niet meer met de meiden praten. Carlo begint te zweten. Hij voelt zijn prikkende billen van gisteren weer. Hij gaat achterover zitten en kijkt niet meer naar Zahra. Zijn pen tekent een ufo achter op zijn schrift.

'Hé.' Zahra zit omgedraaid op haar stoel.

'Kijk voor je,' snauwt Carlo naar haar.

Zahra trekt haar wenkbrauwen op. Dan draait ze zich beledigd om.

Carlo wipt op zijn stoel. Hij weet ook niet wat hij anders moet doen. Ron houdt hem in de gaten.

Carlo is blij als meester Cas met de les begint.

Meiden mogen niet mee

Na school lopen alle jongens van de klas achter Ron aan.

Michiel loopt naast Carlo. 'Ron gaat de hele nacht opblijven,' fluistert hij in Carlo's oor. 'Zijn vriend Oeli heeft geseind dat hij weer bij ons in de buurt zal landen. Ron wil de aliens nog een keer zien.'

Voor hen uit springt Ron over het lage muurtje aan de rand van het schoolplein. Kai volgt hem. Michiel loopt een stukje over de muur en springt er dan af. Carlo loopt achter hem aan.

'Carlooo, Michiel, wacht op mij!' Dat is Zahra. Ze rent over het plein naar hen toe.

De jongens voor hen hebben Zahra ook gehoord.

Kai draait zich snel om. 'Hoepel op, jij!' roept hij. 'Dit is alleen voor jongens.' Hij zet zijn handen in zijn zij en maakt zich groot.

Ron gaat dreigend naast hem staan.

'Wegwezen!' roepen ze tegen Zahra.

Maar Zahra komt juist dichterbij.

Carlo voelt dat ze naar hem kijkt. Hij trekt zijn kraag omhoog. Wat moet hij zeggen? Straks worden Kai en Ron boos op hem.

Zahra staat nu vlak voor de jongens. Haar voeten staan stevig op de grond. 'Wat is dat nou voor stom, stoer gedoe?' zegt ze met een rare, hoge stem. 'Is naar huis lopen ineens alleen voor jongens?' Ze neemt een grote aanloop en zwaait haar voet door het zand. Ze schopt naar Ron en Kai. Een vlaag zand waait over hen heen.

Carlo kijkt achter zich. Hij ziet dat Zahra haar tong uitsteekt.

Ron balt zijn vuisten en zet een stap naar haar toe. Zijn gezicht is nu rood van kwaadheid. Zahra ziet het ook en rent snel weg.

'Meiden zijn stom,' roept Ron. Hij keert zich om en loopt met grote passen de andere kant op.

De jongens gaan achter hem aan. Carlo durft niet om te kijken.

Bij de stoplichten moeten Kai, Jon en Peter de weg oversteken. Michiel en Carlo gaan wel dezelfde kant op als Ron. Carlo voelt zich heel ongelukkig. Hij kruipt nog dieper in zijn jas. Michiel trekt zich er niets van aan. Hij gaat naast Ron lopen.

Wat is die jongen toch een kletskous, denkt Carlo. Ron hoeft niets te zeggen. Michiel praat wel. Carlo hoort af en toe een woord.

'Zuurstof... wapens... planeten... ruimtepakken... vreemde lichten.'

Carlo denkt aan Zahra. Hij kijkt even om. Een heel eind achter hen ziet hij haar blauwe jas. Carlo gaat langzamer lopen. Als hij zijn voet schuin zet, past die goed in een tegel. Zo raakt hij de randjes van de tegels niet.

Michiel en Ron zijn nu een heel eind voor hem. Ze gaan de hoek al om. Carlo kijkt weer achterom. De blauwe jas is verdwenen. Zahra heeft een andere weg genomen.

Carlo voelt zich alleen. Heel erg alleen. Er zal wel geen toverclub zijn vandaag. Hij heeft een beetje buikpijn.

De verdwijnspreuk

In de hut is het vochtig. Je ruikt de aarde. Carlo voelt aan de wand. Eén plank is een beetje los. Die moeten ze vastmaken. Hij zal de hamer van zijn vader meenemen en een paar spijkers.

Het is al laat. Michiel en Zahra zijn er allebei niet. Carlo dacht al dat ze niet zouden komen. Maar hij is toch naar de hut gegaan. Hij hoopte dat de toverclub gewoon de toverclub zou blijven. Maar ruzie op school verandert alles. Carlo baalt.

Hij aait over een draadje. Het is een oranje draadje. Zal hij in z'n eentje gaan toveren? Dat mag eigenlijk niet. Ze hebben elkaar beloofd alleen te toveren als ze er alle drie zijn. Carlo heeft er toch zin in. Hij zou Ron wel weg willen toveren. Wist hij maar een verdwijnspreuk.

Als hij nu eens de spreuk van gisteren omdraait? En dan de naam van Ron erachter plakt? Ook andersom natuurlijk. Een verschijnspreuk wordt een verdwijnspreuk.

Carlo voelt zich blij worden bij het idee. Een verdwijnspreuk lukt vast. Hij schrijft de woorden van de toverspreuk op een briefje. Hij heeft ze goed onthouden. Nu moet hij ze achterstevoren opzeggen.

Carlo pakt een draad van de muur. Een groene. Ron heeft een groene jas. Carlo spreekt heel langzaam de moeilijke woorden uit. Dan knijpt hij zijn ogen dicht. 'Aaa ajdol pak pak ejtoved anajdive Nor.'

Dan doet hij zijn ogen weer open. De hut is nog precies hetzelfde. Geen muis, zoals gisteren. Dat had hij ook niet verwacht. Hij hoort wel iets op het veld.

'Kijk hier,' zegt een stem.

Carlo wil zien wie dat is. Snel raakt hij drie draadjes aan. Rood, groen, geel. Hij buigt met zijn hoofd naar de grond. Dan kruipt hij naar het uitkijkpunt. Daarvandaan ziet hij Ron staan. Ron leunt tegen de buis op het veldje. Carlo voelt kramp in zijn buik. Zijn tovertruc is niet gelukt. Ron is niet verdwenen. Helemaal niet. Ron ziet er stevig en gezond uit. Net als altijd.

Hé, daar is Michiel ook. Er gaat een steek door Carlo heen. Michiel is dus nog steeds met Ron. Michiel heeft iets in zijn hand. Het is een plastic ding.

'Moet je zien, Ron. Dit is een stuk van een helm.'

Carlo snapt meteen waar Michiel het over heeft. Het gaat natuurlijk over de aliens. Michiel denkt aan niets anders meer. Carlo knarst met zijn tanden.

'Ik heb daar ook een gat in de muur gezien,' roept Michiel.

'Wat voor gat?' vraagt Ron.

'Een kogelgat, denk ik,' zegt Michiel.

'Zou kunnen.' Ron heeft een stok in zijn hand. Hij wijst over het veld. 'Hier zijn Oeli en zijn mannen geland. Zie je wel, een cirkel.'

Michiel loopt een rondje. 'De grond is een beetje zwart,' roept hij. 'Waren er vonken?'

'Heel veel,' zegt Ron. 'De ufo steeg op met een vuurbal.' Hij maakt een groot gebaar met zijn handen. 'Dat had je niet gedacht, hè?'

Carlo blijft zitten achter de stekelstruik. Ron en Michiel kunnen hem zo niet zien. Maar Carlo verstaat precies wat ze zeggen.

'Vanuit jouw raam kun je het veld niet goed zien,' zegt Michiel. 'We moeten ons hier ergens verstoppen. Dan kunnen we de aliens ontmoeten.'

Ron knikt.

'Ik weet wel hoe we dat vannacht moeten doen,' zegt Michiel. Hij gaat dicht bij Ron staan.

Carlo kan nu niet meer verstaan wat ze zeggen. Het lijkt alsof de twee jongens wat afspreken. Ze lopen samen weg. Ron gaat het gangetje in en Michiel loopt verder over de stoep.

'Denk erom, niemand mag er iets van weten. Zeker die slapjanus Carlo niet,' roept Ron nog tegen Michiel.

Carlo krimpt ineen.

'Tot vanavond,' roept Michiel terug.

Verstoppen? De hut! Het gonst door Carlo's hoofd. Michiel zal toch niet de hut verraden? De hut is een goede verstopplek. Dat wel. Maar niemand mag van de hut weten en zeker Ron niet. Carlo's gedachten gaan alle kanten op. In zijn hoofd giert het. Hij moet de hut leeg maken. Hij moet Zahra waarschuwen.

Carlo sluipt terug naar de hut. Hij kijkt rond. De toverdraadjes! Ze hebben ze netjes opgehangen aan het plafond en aan de muur. Ze hangen kleur bij kleur. De draden moeten weg. Geduldig knoopt Carlo de draadjes los. Het is veel werk. Het lijkt alsof de draden langer worden als hij ze losknoopt. Ze glijden door zijn hand. Carlo hoort het gefluister. Het geluid van water. Het geluid van de wind. De draden praten. Deze keer kan hij ze verstaan.

'Niet zo bang, Carlo. Jij hebt de macht. Je kunt ze foppen. Neem ze te grazen. Gebruik je tover. Gebruik je tover. Gebruik je tover.'

Carlo loopt over de stoep naar huis. Voor geen goud gaat hij door het gangetje. Hij is in gedachten verzonken. Daardoor botst hij bijna tegen iemand op. Carlo schrikt zich een hoedje.

Het is Zahra. Ze heeft een zware tas in haar hand. Zahra is vast naar de supermarkt geweest. Ze doet iedere dag boodschappen voor haar moeder.

'Hai, eh...' Carlo weet niet wat hij moet zeggen. Hij moet vertellen van Ron. Hij moet vertellen van de hut. Zahra is zijn vriendin. Hij had niet zo rot tegen haar moeten doen. Hij had er wat van moeten zeggen toen de andere jongens haar uitscholden. Ze heeft groot gelijk dat ze met zand gooide en haar tong uitstak.

Carlo voelt tranen in zijn ogen prikken. Hij wil met haar meelopen. Hij wil haar helpen met de zware tas. Hij wil iets liefs tegen haar zeggen.

'Zahra, de hut... ik...' Carlo kijkt op. Hij schrikt van haar ogen.

Die zijn niet groen en vrolijk, zoals altijd. Ze zijn zwart en donker.

'Jij denkt toch niet dat ik nog met jongens praat,' zegt Zahra fel.

'Maar...' Carlo weet nog steeds niet wat hij moet zeggen.

Zahra wacht niet totdat hij het weet. Ze kijkt Carlo nog een keer woest aan en loopt dan langs hem heen.

'Watje patatje... Watje patatje... Watje patatje...' mompelt Carlo in zichzelf. Dan rent hij langs het huis van Ron. Snel gaat hij zijn eigen voordeur in. Hij botst in de gang tegen tante Ka op. Ze wil net weggaan. Ze heeft haar jas al aan. Ze geeft Carlo een dikke zoen. Carlo rukt zich los.

Verraad

Carlo woelt in zijn bed. Het is net of zijn hele kamer broeit en gloeit. Meestal valt hij snel in slaap. Vandaag niet. Hij denkt aan van alles. De toverdraden uit de hut liggen onder zijn bed. Hij vraagt zich af of dat wel een goede verstopplek is. Het voelt zo gek. Net of er iets levends onder zijn bed ligt. Carlo kan er niet van slapen. Als hij zijn ogen dichtdoet, voelt hij de draden. De draden krioelen door de kamer. Ze spelen met elkaar. Het zijn net wormen die door de lucht zweven. Of slangetjes die om elkaar heen draaien en fluisteren.

Hij doet zijn ogen open en knipt het kleine licht aan. Natuurlijk vliegen er geen draden door de kamer. De kamer is gewoon zijn kamer.

Carlo draait zich om. Het is heel laat. Zijn vader en moeder zijn al naar bed. Buiten klinken geluiden. Er rijdt een auto door de straat. Hij hoort mensen praten. Een baan van licht glijdt over de muur van zijn kamer.

Met een ruk zit hij rechtop in bed. Een ufo! Voorzichtig laat hij zich uit zijn bed op de grond glijden. Hij kruipt over de vloer naar het raam. Dan trekt hij zich op. Zijn hoofd steekt net boven de vensterbank uit. Zo kan hij goed over de huizen kijken.

Hij speurt door de tuinen. Er is niets vreemds te zien. De maan is rond en licht. Ze maakt de wereld blauw. De lichtstraal is er niet meer. Carlo hoort ook niets.

Het veldje kan hij vanaf hier niet zien. Hij moet het raam opendoen. Dan kan hij het veldje wel zien. Carlo kan zijn nieuwsgierigheid niet bedwingen. Hij zwaait het raam open en hangt zo ver hij kan uit het raam. Het veldje met de speelbuis en de schommel ligt er rustig bij.

Hij zou weer moeten gaan slapen. Maar Carlo wil niet meer naar bed. Het is veel beter om de wacht te houden. Hij schuift een stoel naar het raam. Zijn dekbed slaat hij om zich heen. Langzaam zakt zijn hoofd op de vensterbank.

Er klimt een mannetje naar binnen. Hij heeft een groen gezicht en draagt een helm. Het is een alien. Nieuwsgierig kijkt hij de kamer rond. Dan komt er nog één. Die ziet er precies hetzelfde uit. Het eerste mannetje wijst naar de plank met enge dieren. Heel voorzichtig pakt hij een plastic spin van de plank. Hij ruikt eraan. Dan geeft hij hem aan de ander. Die stopt hem in zijn mond. Een paarse tong likt over een poot van de spin. Carlo griezelt ervan.

Er klimt nog een derde mannetje door het raam.

Het eerste doet de deur naar de gang open. Hij wenkt de andere twee. Ze sluipen de gang in en roetsjen via de trapleuning naar beneden.

Carlo volgt ze. In de huiskamer is het stil en donker.

De eerste alien staat bij de televisie. Hij aait met een zachte hand over het beeld. Hij wacht. Maar er gebeurt niets. Natuurlijk niet. Dan vindt hij een knop. De tv gaat aan. De aliens deinzen achteruit. Ze schrikken zich een hoedje.

Wie is er nou bang voor de tv, denkt Carlo.

De mannetjes sluipen weer dichterbij. Ze gaan met z'n drieën vlak voor de televisie zitten. De aliens maken geluiden tegen de tv. Net alsof ze praten met de televisie.

Dan ziet Carlo iets raars. Ron en Michiel zijn op tv. Ze zitten in de hut. Naast hen zit een alien. De camera filmt de hut en de twee jongens. De jongens worden geïnterviewd voor het nieuws.

Carlo schrikt wakker. Zijn hoofd ligt op de verwarming. Hij heeft een gleuf in zijn wang van de ijzeren rand. Hij is in slaap gevallen.

Carlo tuurt snel zijn kamer rond. Geen groene mannetjes. Dan opent hij de deur naar de gang. Beneden is het stil. De tv staat niet aan. Hij heeft het gedroomd. Toch zit het hem niet lekker. Ron en Michiel waren in de hut. Ze waren op de televisie.

Zouden ze echt in de hut zitten? Carlo luistert. Hoort hij stemmen op het veldje? Michiel is al zo lang zijn vriend. En nu is hij overgelopen. Hij is met Ron.

De boosheid giert rond in Carlo's lichaam. Carlo knijpt zijn handen tot vuisten. Wat denken ze wel! Hij zal ze op hun nummer zetten. Hij zal ze eens bang maken met hun ufo's en aliens.

Vergiet op je kop

Carlo denkt niet langer na. Hij trekt zijn broek over zijn pyjama aan. Hij doet een trui aan en sokken. Het plan in zijn hoofd wordt steeds mooier. Hij zal die twee eens goed te grazen nemen.

Carlo sluipt de trap af. Van de kapstok haalt hij zijn winterjas. Niet dat het koud is. Maar een dikke jas staat goed. Nu moet hij nog buitenaardse dingen hebben. Hij moet op een alien lijken. Carlo kijkt in de keukenkastjes. Het vergiet. Dat is goed. Het past precies op zijn hoofd. Carlo plakt het bolle ding met gaatjes met plakband aan zijn hoofd vast. Hij vindt een lege plastic fles. Die knipt hij doormidden. Hij maakt de fles aan het vergiet vast. Nu lijkt het een soort helm met een punt. In de gereedschapskist van zijn vader vindt hij een stuk snoer met een stekker. Dat stopt hij in zijn zak. Hij laat de stekker eruit bungelen.

Carlo kijkt in de spiegel op de wc. Hij kan zichzelf net zien. Het begint al ergens op te lijken. In het donker zou je denken dat er een alien staat. Hij kijkt in de gangkast. Daar vindt hij een zwemband. Die is van vroeger. Die droeg hij toen hij nog in het badje speelde. De zwemband

blaast hij op. Hij doet hem om zijn middel. Zo is het goed.

In zijn zak zit een bosje toverdraden. Die heeft hij onder zijn bed uit gegraaid. Hij voelt er even aan. Je weet maar nooit. Hij pakt nog snel de zaklamp uit de la in de gang. Dan sluipt hij door de keuken. Carlo draait het slot van de achterdeur open. Voorzichtig loopt hij over het paadje in de tuin. Hij kan de grond niet goed zien. Dat komt door de zwemband die hij om heeft. Maar hij kent de weg. Carlo past bijna niet door de poort. Zo dik is hij. Hij doet de poort weer goed dicht.

In de gang achter de huizen is het stil. Zijn voetstappen weergalmen tegen de schuttingen. Hij doet zijn zaklamp niet aan. Dat valt te veel op. Carlo is nog nooit alleen midden in de nacht buiten geweest. Het is spannend. De schaduwen zijn heel anders dan overdag. Het laatste stukje naar het veldje rent hij.

Er ligt een blauwe schaduw over de speeltuin. Carlo staart naar de grijze buis met gaten. De gaten lijken net ramen. Je zou bijna denken dat de speelbuis een ufo is. Maar dat is niet zo. Er is niemand te zien.

Uit gewoonte gaat Carlo naar de schommel. Hij loopt eromheen. Hij raakt de wip aan. Dan kruipt hij moeizaam door de buis. De zwemband zit in de weg. Maar dat maakt hem niet uit. Zo zijn de regels. Die dingen moet je doen voor je naar de hut gaat.

Zijn zwemband blijft haken tussen de struiken. En hij maakt veel te veel lawaai. Maar Carlo is niet meer bang. Hij is nu een alien en iedereen zal bang voor hém zijn. Hij ziet er gevaarlijk uit.

Het is stil bij de hut. Akelig stil. Zou hij zich vergist hebben? Zijn Ron en Michiel er niet? Of zijn ze zo bang dat ze rillend achter een kist zitten? Carlo glimlacht.

Hij schuift het gordijn van de hut opzij. Het is erg donker in de hut. Carlo ziet niets. Hij hoort wel wat. Geschuifel. Ademhalen. Daar zul je ze hebben. Carlo knipt zijn zaklamp aan. Vol licht. Er ligt iemand op de grond.

Carlo kijkt goed. Het is Michiel. Hij ligt te slapen.

'Michiel,' zegt Carlo zacht. Hij schopt voorzichtig tegen de voeten van zijn vriend.

Michiel beweegt. Hij doet één oog open. Dan het andere. Slaperig knippert hij. Dan ziet hij Carlo. Zijn ogen worden groot van schrik. Hij steekt zijn handen in de lucht. 'Help,' zegt hij benauwd.

Carlo glimlacht. Michiel is bang voor hem. Eigen schuld, denkt hij. Overloper. Hij zal hem eens foppen. Carlo maakt een diepe stem. 'JIJ MEE NAAR MIJ. IK BLIJ. IK MOOI PLANEET. IK JOU EET.'

Michiel krimpt ineen. Hij begint te stotteren. 'L...l... lieve alien, alsjeblieft. Ik ben een jongetje. En ik smaak echt heel vies.'

'IK LUST JONGETJES RAUW!' roept Carlo. Hij kan zijn lachen niet meer inhouden. Hij giert het uit. 'Hi hi hi. Ik ben het. Ha ha ha.' Hij schijnt met de zaklamp naar zichzelf.

'C...c...Carlo,' stottert Michiel.

'IK VAN VERRE PLANEET,' zegt Carlo voor de grap. Hij trekt het vergiet wat omhoog.

Nu kan Michiel zijn ogen zien. 'Carlooo! Rotzak.' Michiel trekt het vergiet van zijn hoofd. 'Wat zie jij eruit. Ha ha ha. Idioot.' Nu begint Michiel ook te schateren.

Ze rollen over de grond van het lachen.

'Aliens zien er heel anders uit, rare,' giert Michiel.

'Jij geloofde het anders wel.'

Michiel staat op. Hij wordt opeens ernstig. 'Er is wel iets ergs gebeurd,' zegt hij. 'Kijk maar rond. Iemand heeft onze toverdraden gestolen.'

Carlo schijnt met zijn lamp door de hut. 'Dat was ik,' bekent hij.

'Jij?! Waarom?'

'Omdat jij ons wou verraden. Jij wilde Ron de hut laten zien.'

'Niet.'

'Wel.'

'Niet.'

'Wel.'

'Ik wou in de speelbuis gaan zitten met Ron. Niet in de hut. Hij mag nooit over onze hut te weten komen. Echt niet.'

'Waarom zit je dan niet in de buis?' Carlo kijkt hem uitdagend aan. 'Waar is jouw vriendje Ron dan nu?'

'Ik weet het niet,' zegt Michiel benepen. 'Ik had met hem afgesproken in de speeltuin. Hij kwam niet. Ik had thuis gezegd dat ik bij jou zou slapen. Ik kon natuurlijk niet meer terug. M'n moeder ziet me aankomen. Dus ben ik hier gaan slapen.'

'Lag je lekker?' vraagt Carlo plagend.

Michiel wrijft met een pijnlijk gezicht over zijn nek. 'Nee, niet echt.'

Groen licht

KNAL!

Michiel en Carlo schrikken op.

'Wat is dat voor geluid?' Carlo voelt zich niet zo erg stoer meer.

'Misschien komen ze nu wel,' zegt Michiel onzeker.

'Wie?'

'De aliens natuurlijk.'

Carlo was ze alweer vergeten.

'Ron heeft met ze gesproken. Hij heeft hun mobiele nummer. Ze hebben hem gebeld. Vannacht zou Oeli weer komen.'

Carlo vindt het maar raar. Hij wil heel graag aan zijn vader vragen of zoiets kan. Bellen met buitenaardse wezens... Daar heeft hij nog nooit van gehoord.

Michiel ritst zijn jas dicht. 'Jij blijft hier. Ik klim in de boom om te kijken.'

Carlo kijkt in de donkere lucht omhoog. Michiel klimt handig van tak tot tak.

'Zie je iets?' fluistert Carlo.

'Bij de huizen zie ik licht,' fluistert Michiel terug.

'Wat zie je dan?' vraagt Carlo.

'Gekleurd licht.'

'Zie je geen ufo? Of mannetjes?'

'Kan ik niet zien.'

'Waar is het?'

'Het lijkt wel bij Zahra in de achtertuin.'

'Bij Zahra?!'

Michiel laat zich snel weer uit de boom glijden.

'We moeten haar waarschuwen!' fluistert Carlo.

Michiel knikt. Hij wil al naar het veld kruipen.

Maar Carlo trekt hem aan zijn mouw. Hij geeft Michiel drie draadjes om aan te raken. Michiel buigt met zijn hoofd naar de grond. Carlo doet het ook. Ze moeten de regels niet vergeten. Op het veld draaien ze snel een rondje. Ze lopen drie stappen achteruit. Dan steken ze hun handen in de lucht.

Achter elkaar lopen ze door het donkere gangetje. Bij de poort van Zahra blijven ze staan. Ze houden hun adem in. Aan de andere kant van de poort horen ze geluid. Stemmen, geruis, geklop. Er schijnt gekleurd licht over de poort.

Carlo voelt zijn hart in zijn keel kloppen. 'Wat nu?' fluistert hij.

'Durf jij over de poort te klimmen?' vraagt Michiel.

Carlo schudt zijn hoofd. 'Zou Zahra in gevaar zijn?'

'Misschien willen ze haar wel ontvoeren,' zegt Michiel.

Ze leggen hun oor tegen het hout. Ze luisteren of ze Zahra horen. Ze horen alleen maar geluid van een beekje. Water dat naar beneden klatert.

Er is toch geen water in Zahra's tuin? bedenkt Carlo.

'Zal ik op jouw schouders gaan staan en over de poort kijken? Dan kan ik zien wat er gebeurt,' zegt Michiel.

Carlo gaat dicht tegen de poort staan. Michiel zet zijn voeten op zijn schouders. Dat is best zwaar. Carlo voelt dat zijn helm scheef zakt. De rand van het vergiet snijdt in zijn oor. Hij knijpt zijn lippen op elkaar. Hij mag geen geluid maken. Zahra is misschien in gevaar. Michiel en hij zullen haar redden.

Michiel trekt zich op aan de poort. Hij kan er bijna overheen kijken. Het licht wordt feller. Oranje en geel.

'Zie je iets?' vraagt Carlo benauwd. Dan voelt Carlo een dreun op zijn schouder. Hij valt om. Gelukkig heeft hij de zwemband om. Daardoor valt hij zacht.

Michiel komt boven op hem terecht. 'Au!' schreeuwt hij.

Ze kijken omhoog. Boven hen zien ze een brommerhelm en een plastic jas met roze ballen.

Is dat Oeli? Ziet hij er zo uit? Carlo had een groen mannetje verwacht. Hij wrijft over zijn hand. Die doet een beetje pijn.

'Hé, Michiel,' zegt de helm ineens. 'Wat doe jij hier?' Het is de stem van Ron. Ron zit onder de helm. Niet Oeli.

Carlo kruipt tegen de poort aan. Ron is wel de laatste die hij wil zien.

Michiel springt op. 'Ron? Ben jij dat? Wat zie je er raar uit!'

'Dat is tegen de ufo-stralen,' zegt Ron plechtig.

Michiel slaat Ron op zijn schouder. 'Waar was jij, man?' vraagt hij. 'Ik heb de hele tijd op je zitten wachten.'

'Gedoe met m'n moeder,' antwoordt Ron nors. 'Hou erover op. Ik wil er niets over horen.' Dan wijst hij op Carlo. 'Wat doet hij hier?! Je hebt die slapjanus toch niet meegenomen, hè? En wat ziet hij er idioot uit. Hij heeft een pan op zijn kop.'

Carlo voelt de tranen achter zijn ogen branden. Ron zou eens naar zichzelf moeten kijken. Hij heeft zelf een te grote helm op. Het ding zakt over zijn oren. En zijn regenjas is bezaaid met roze ballen. Heel meisjesachtig. Die is vast van één van zijn zussen geweest.

Michiel kijkt aarzelend van Ron naar Carlo. Dan raapt hij al zijn moed bij elkaar. 'Carlo is toevallig mijn beste vriend. Daarom heb ik hem meegenomen.'

Dat Michiel dat zegt... Carlo is verbaasd. Het twinkelt in zijn hart.

Ron spuugt op de grond. Hij haalt zijn schouders op. 'Ha ha, hij zal wel een flinke blauwe plek hebben,' zegt hij stoer.

'Ja man. Dat was een goede klap. Je dacht zeker dat we aliens waren.'

'Nee hoor. Jullie lijken meer op slechte dieven,' zegt Ron. 'Ha ha ha. Wat doen jullie hier eigenlijk?'

'Oeli en zijn vrienden zitten achter de poort,' fluistert Michiel. 'Ze zijn in Zahra's tuin geland.'

Ron kijkt weifelend naar de poort. 'Hoe w…w…weet je d...d...dat?' Hij stottert opeens.

'Zie je dat licht?'

Ze kijken alle drie. Er is nu groen licht. Het lijkt of het danst in de lucht. Een sliert rood glijdt erdoorheen.

Carlo heeft het vaker gezien. Het lijkt op de kleuren van het tovertapijt. Helemaal niet op ufo-lichten. Maar hij durft niets te zeggen.

Ron kijkt met grote ogen naar het schijnsel.

'Wat doet Oeli daar in Zahra's tuin? Waarom zijn ze niet op het veldje geland? Is Zahra in gevaar?' vraagt Michiel aan hem.

Ron schuifelt met zijn voeten. 'I…i…ik w...w...weet niet wat hij daar doet.'

'Heb je Oeli dan nog niet gebeld? Je hebt toch zijn nummer?'

'N...n...nee hoor.'

'Je moet hem nu bellen, man.'

'Geen zin in,' sputtert Ron.

'Slappeling,' roept Michiel.

Ron haalt met tegenzin zijn mobieltje uit zijn zak.

Carlo ziet dat Ron een nummer intoetst. Michiel kijkt mee.

Ron wendt zich van hen af. 'Hé Oeli, hoe is het, man?' vraagt hij.

Kunnen aliens Nederlands spreken? Daar is Carlo wel verbaasd over. Hij had gedacht dat je een andere taal moest spreken.

'Met mij alles oké,' zegt Ron. Hij loert even naar Michiel en Carlo. 'Ja, later.' Hij drukt de telefoon uit.

'En??? Wat zei Oeli?' Michiel gaat dicht naast Ron staan.

'Eh... ze stijgen zo op... denk ik,' zegt Ron hakkelend.

Carlo vindt dat Ron raar doet. Ron is groot en stoer. Maar daar merk je nu niks van. Er klopt iets niet. Carlo weet alleen nog niet wat. Kon hij maar gedachten lezen. Dan zou hij weten wat er in Rons hoofd omgaat.

Waarom kan hij dat eigenlijk niet? Zahra kon het ook. Hij kan het proberen. Carlo trekt een ernstig gezicht. Hij steekt zijn handen voor zich uit. Hij concentreert zich op het hoofd van Ron.

Opeens weet Carlo het. Oeli bestaat niet. Ron heeft alles van de ufo en de aliens bedacht. De jongens van school vinden het een stoer verhaal. En Michiel is er ook ingetuind. Die gelooft alles over de aliens. Nu snapt Carlo het geheim van Ron. Hij is niet bang meer.

Carlo haalt de helm van zijn hoofd. Hij laat de zwemband leeglopen. Nu ziet hij er weer uit als een gewone jongen.

Waar is Oeli?

'Komt Oeli niet hierheen? Ik mocht hem toch zien?' Michiel heeft een rood hoofd. Hij springt van zijn ene op zijn andere voet. Dat doet Michiel altijd als hij boos is. 'Je had me beloofd dat ik Oeli zou zien, Ron. Nu wil je die alien ineens voor jezelf houden.'

Carlo houdt zijn adem in. Is Michiel gek geworden? Kwaad worden op Ron is niet slim. Daar moet hij mee oppassen. Voor je het weet, krijg je een klap. Carlo voelt de vorige klap nog op zijn schouder branden. Hij heeft geen zin in weer zo'n dreun.

Maar Michiel trekt zich er niets van aan. Hij is niet bang voor Ron. Met zijn vuisten roffelt hij op de poort van Zahra. 'Oeli, Oeli!' roept hij.

Carlo houdt zijn handen voor zijn gezicht.

'Oeli, Oeli!' roept Michiel. Hij bonst nog een keer. 'Wij zijn het, je vrienden.'

De poort zwaait open. De drie jongens deinzen achteruit. Daar staat geen alien met grote ogen en een groene huid.

Daar staat een meisje met pikzwart haar. Zahra heeft geen pyjama aan. Ze staat daar gewoon in haar spijkerbroek. Ze kijkt de jongens strak aan. 'Jullie denken toch niet dat Oeli komt als jullie zo veel lawaai maken. De hele buurt wordt wakker.' Zahra ziet er woest en sterk uit. Haar ogen zijn donker en fel.

'Sorry,' mompelt Michiel.

'Oeli is hier uren geleden al geland,' zegt Zahra. 'Hij heeft thee gedronken en iets gegeten. Daarna heeft hij even een dutje gedaan. Toen ging hij op pad. Hij zou een vriend ontmoeten. Ik maak me een beetje ongerust.' Zahra's stem klinkt ineens veel zachter. 'Hij is nog steeds niet terug.'

De jongens hebben ogen als schoteltjes. Zahra kent Oeli. Oeli heeft bij Zahra thee gedronken midden in de nacht!

Carlo gelooft er niets van. Hij kijkt iets beter. Er twinkelen pretlichtjes in de ogen van Zahra. Hij snapt het. Ze heeft Michiel en Ron afgeluisterd. Ze heeft alles gehoord over de aliens en Oeli. Toen is ze zelf dat hele verhaal over Oeli gaan verzinnen. Om hen terug te pesten. Zahra heeft de poortdeur een beetje dichtgedaan. Zo kunnen de jongens niet de tuin in kijken. Nu denken ze nog dat er een ufo in de tuin staat. Carlo lacht in zichzelf. Wat is Zahra toch slim.

'Maar... maar... Ron heeft Oeli net aan de telefoon gehad, Zahra,' stottert Michiel.

'Bel hem nog maar een keer, Ron.'

Ron schudt zijn hoofd.

Carlo kan zien dat hij nu bang begint te worden. Zijn stoere verhalen worden echt. Dat was niet de bedoeling. Hi hi hi. Carlo heeft een idee.

'Michiel en Zahra,' zegt Carlo plechtig. 'Ik denk dat ik wel weet hoe we Oeli hier kunnen krijgen. Als wij nu een jeweetwel-spreuk uitspreken.' Carlo kijkt Zahra strak aan. Hij hoopt dat ze begrijpt dat hij haar doorheeft.

Zahra snapt het. Er is heel even een glimlach op haar gezicht. Zij kan gedachten lezen. Net wat hij dacht.

'Dat is een goed idee, Carlo,' zegt Zahra langzaam.

Carlo knipoogt naar zijn vriendin. Hij haalt de draden uit zijn zak. Zahra en Michiel krijgen ieder een draadje. Zahra een gele en Michiel een rode.

De leden van de toverclub houden hun draadje omhoog. De draden trillen in hun hand. Ze beginnen te fluisteren en te murmelen.

Carlo kijkt naar Ron. Die begint ook te trillen. Van angst.

'Evidjana devotje kap kap lodja aaa. Oeli, Oeli, Oeli.' Carlo en Zahra spreken de spreuk tegelijk uit. Zij weten de woorden nog precies.

Maar Michiel maakt er niet veel van. 'Evi Evi oootje kapkapkapkap aaaaaaa,' stamelt hij. Hij haalt de woorden door elkaar en zwaait met zijn draadje.

Ron siddert. Hij duikt in elkaar van angst.

Net goed, denkt Carlo bij zichzelf.

De nacht van de toverkracht

'Oeli!' roept Zahra. Ze gooit de tuinpoort open. Carlo weet al dat Oeli niet achter de poort staat. Ze hebben Oeli niet getoverd. Oeli bestaat niet eens. Bovendien zei Michiel de woorden verkeerd. Zo kon de spreuk nooit lukken. Er staat iemand anders in de tuin. De moeder van Zahra.

'Wat ies dat lawaai, Zahra?' De moeder van Zahra kijkt verbaasd naar de drie jongens. Ze heeft een wijde, kleurige jurk aan en een sjaal om haar hals. 'Ies nacht, jongens. Jullie moeten in bed,' zegt ze met een zangerige stem. 'Laat je vrienden binnenkomen, Zahra. Wij geven thee.'

Ron laat zich de tuin in duwen. Hij sputtert niet eens tegen.

Michiel loopt nieuwsgierig achter hem aan.

Carlo kijkt verlegen naar Zahra. 'Sorry dat ik laatst zo stom deed,' mompelt hij.

Zahra steekt haar neus in de lucht en duwt hem de tuin in.

Zodra Carlo de poort door is, houdt hij zijn adem in. De tuin is vol gekleurd licht. Het lijkt wel een sprookjesballet. Allerlei kleuren en figuren dansen door elkaar. De kleuren komen natuurlijk niet van een ufo. Ze komen van het tovertapijt. Het tapijt ligt buiten op het gras. Het kronkelt en beweegt.

Ron en Michiel staan beteuterd bij de poort. Ron is bleek en staat te bibberen op zijn benen.

'Wat ies er met jou? Jij ziet bang uit,' zegt Zahra's moeder.

Carlo grinnikt zacht. Ron wil natuurlijk niet dat iemand ziet dat hij bang is. Maar het is overduidelijk.

Ron kijkt verbaasd naar het bewegende tapijt. Hij is nog nooit bij Zahra thuis geweest. Hij zet zijn helm af. Michiel trekt hem naast zich op de grond. Carlo gaat er ook bij zitten.

De moeder van Zahra komt met een theepot naar buiten.

'Waarom ligt het tovertapijt buiten?' vraagt Carlo.

'Ies maan,' zegt ze.

De jongens kijken omhoog. De volle maan staat boven de tuin.

'De maan geeft tovertapijt kracht. Het is vandaag de nacht van de toverkracht.' Zahra's moeder aait Ron over zijn rug.

Ron protesteert niet.

'Waarvoor ben jij zo bang, jongen?' vraagt zij.

Ron mompelt wat.

De moeder van Zahra kan het niet verstaan. Ze kijkt met een vragend gezicht naar Zahra. Die weet ook niet wat Ron zegt.

'Mevrouw,' begint Michiel.

'Wil jij iets aan mij vragen?' wil Zahra's moeder weten.

'Nee,' antwoordt Michiel. 'Ik wil graag iets vragen aan het tapijt.'

De moeder van Zahra knikt dat het goed is.

Michiel legt zijn hand op een hoekje van het kleed.

Het kleed begint te fluisteren.

'Waar is Oeli?' vraagt Michiel.

'Hohohoehoei.' Het lijkt wel of het kleed begint te lachen en te giechelen. 'Oeli is in het hoofd van Ron. Dat is waar het ooit begon. De alien Oeli bestaat echt niet. Alleen voor wie hem zelf ziet.' Het kleed herhaalt het versje nog een keer.

'Oeli is in het hoofd van Ron.
Dat is waar het ooit begon.
De alien Oeli bestaat echt niet.
Alleen voor wie hem zelf ziet.'

Ze kijken allemaal naar Ron.

Die lijkt opeens wakker te schrikken. Hij luistert naar de

woorden van het tapijt. Snel staat hij op. Hij stoot zijn thee om. Pakt zijn helm en rent de tuin uit.

'Natuurlijk bestaat zo'n groene alien niet. Jullie zijn gek dat jullie zo'n praatjesmaker geloven,' zegt Zahra fel.

'Nou zeg… ik dacht…' verder komt Michiel niet.

'Zahra, jij bent erg boos,' zegt Zahra's moeder. 'Zij zijn jouw vrienden.' Ze geeft de jongens een koekje.

Zahra mompelt iets. Ze kijkt de andere kant op.

'Geef jullie arm,' zegt Zahra's moeder.

Michiel en Carlo steken hun arm naar voren.

De moeder van Zahra bindt een gekleurd draadje om hun pols. Bij Zahra doet ze hetzelfde. 'Dat ies toverdraadje. Voor vriendschap. Ies belangrijk in leven. Als je ruzie hebt. Jij kunt het goedmaken. Zal ik jullie een spreuk leren van de volle-maan-nacht?' zegt ze. 'Luister goed. Met deze spreuk maak je iets wat slecht is weer goed. Brengt geluk. Iesma iesma doedoegoe,' zingt ze zacht.

Carlo voelt zich slaperig. En zomaar een beetje gelukkig.

'Iesma iesma doedoegoe.'